El duende verde

ANAYA

El faro del viento

Texto:
Fernando Alonso

Premio Lazarillo
de Literatura Infantil

Ilustraciones:
Jesús Gabán

Premio Nacional
de Ilustración Infantil

Diseño:
Narcís Fernández

Dirección de la colección:
Antonio Basanta
Luis Vázquez

ÍNDICE

Querido lector:

Acabas de abrir este libro y comienzas a pasear tu mirada por sus líneas.

Acabas de abrir este libro y tus ojos, y tu mente, comienzan a despertar la magia de las palabras.

Si te detienes un momento a pensar, descubrirás que leer es una aventura mágica.

Hace ya algún tiempo, modelé con palabras ocho cuentos. Y aquellas palabras, llenas de vida, narraban la historia de una dragoncita raptada por un malvado caballero; la historia de una niña, prisionera de sus zapatos de cristal; la historia de un pueblo, que se unía para luchar por su libertad...

Más tarde, aquellas palabras quedaron atrapadas, mudas y solas, entre las páginas de este libro.
Entonces, la vida se voló de las palabras; y mis personajes quedaron

silenciosos y huecos, como marionetas encerradas en la maleta de un titiritero.

El libro se ha convertido en un caserón misterioso donde aguardan las palabras, llenas de esperanza, a que la magia de un lector, o de una lectora, les den una vida nueva.

Si tú quieres ser esa lectora, o ese lector, te invito a pasar. Ésta es tu casa. Las palabras, los personajes y las historias serán lo que tú quieras que sean. Podrás recrear los cuentos para divertirte o para soñar; para pensar o para mirar a tu alrededor con una mirada nueva, creativa y transformadora.

Estas palabras, estos personajes y yo, te ofrecemos amistad y compañía en la aventura que ahora comienzas.

En la realización de esta obra han colaborado
las siguientes personas: **coordinación editorial,**
Georgina Villanueva (**colaboradora:** Charo Mascaraque);
confección y maquetación, José Antonio Llorente.

Para Cita, Liwayway
y Zippy

LOS ZAPATOS DE CRISTAL

HABÍA una vez una niña que se llamaba Marta.

Marta tenía cinco años y ojos azules.

A ella le gustaba ponerse pantalones, llevar el pelo muy corto y subirse a los árboles.

Pero sus padres la peinaban con grandes bucles, le ponían vestidos bordados, le regalaban muñecas y cocinitas para jugar.

A Marta le gustaban las historias de aventuras.

Pero su madre sólo quería contarle cuentos de niños buenos y educados, porque

eran los que a ella le habían contado de pequeña.

Un día, su madre leía en voz alta *La Cenicienta:*

—«*...Su madrina la tocó con su varita y, al punto, su vestido roto se convirtió en un traje de seda, oro y piedras preciosas y en seguida le dio un par de zapatitos de cristal.*»

Entonces, la madre exclamó:

—¡Zapatitos de cristal...! ¡Qué idea tan maravillosa!

Su madre fue al taller de un fabricante de objetos de cristal. Le explicó lo que deseaba y aquel señor comenzó a hacer dibujos.

Al cabo de un rato, la madre dijo:

—¡Estos! Estos son los zapatos que más me gustan.

El día de su cumpleaños,

Marta estrenó los zapatos
de cristal.

Y a partir de aquel momento,
por culpa de aquellos zapatos, la
niña ya no pudo jugar al fútbol;
ya no pudo correr, ni subirse
a los árboles.

Por eso estaba triste.

Pero sus padres estaban muy
contentos: porque, con aquellos
zapatos, se movía con pasitos
menudos, caminaba con mucha
elegancia y llevaba el cuerpecito
tieso como una muñeca
de porcelana.

Algunas personas que venían
a visitar a su familia decían:

—¡Qué niña tan educada!

Y otros pensaban:

—Pobrecita, parece que no
es muy feliz.

Marta se sentaba en el salón,

con una muñeca en los brazos
y no paraba de contemplar con
tristeza sus piececitos
prisioneros, como peces en
una pecera.

Y cada noche, cuando se
encendían las estrellas en el
cielo, soñaba con escapar de
aquella vida, monótona y triste
por culpa de aquellos ridículos
zapatos de cristal.

Soñaba que rompía los
zapatos y corría descalza por la
hierba y los caminos.

Pero, con las luces del día,
Marta era incapaz de hacer algo
que pudiera disgustar
a sus padres.

TUVO que pasar el tiempo.

¡Mucho tiempo!

Y, con el paso del tiempo,
crecieron los pies de la niña.

Ya no cabían en los zapatos
de cristal.

Aquel día, Marta sonreía
muy contenta.

Su madre, con los zapatos en
la mano, exclamó con voz triste:

—¿Qué hacemos ahora con
ellos?

—Pues... ¡tirarlos!

—No digas tonterías, hija.
¡Los usaremos de adorno!

Al día siguiente, cuando
Marta volvió del colegio, los
zapatos de cristal estaban en su
estantería convertidos
en peceras.

Dentro de cada zapato, dos
pececillos rojos nadaban entre
unas hierbas escuálidas.

—¿Qué te parece, hija?

—Yo hubiera preferido
tirarlos...

—Cuando seas mayor, te
gustará conservarlos como
recuerdo. ¿No crees?

La niña ya era lo bastante
mayor para saber que hay
recuerdos que es mejor olvidar.
Por eso, no contestó
a su madre.

Cada vez que veía aquellos
pobres peces, Marta recordaba
sus pies, presos en una cárcel
de cristal.

Y un extraño ahogo le llenaba el pecho.

Por eso, no se sentía libre.

Por eso, no era feliz.

Por eso, cuando las estrellas se encendían en el cielo, continuaba soñando que rompía aquellos zapatos y escapaba, descalza, por la hierba y los caminos.

Por fin, un día, Marta se levantó muy temprano y salió de casa.

Llevaba en la mano los zapatos de cristal.

La luz del amanecer se reflejaba en las escamas de los peces y en los ojos de la niña con un brillo gozoso.

Cuando llegó al río, Marta echó los peces al agua.

Los cuatro peces se quedaron un momento junto a la orilla y

miraron a la niña con gesto de extrañeza.

Luego, agitando sus colas y sus aletas alborozadas, se sumergieron.

Cuando regresaba a casa, se cruzó con un camión de la basura.

Marta apuntó bien y... uno detrás del otro, los zapatos de cristal cayeron dentro de la trituradora.

La niña oyó claramente el
ruido que hacían al romperse.

Aquel ruido alegre qué tantas
veces había escuchado en
sueños...

Los terribles zapatos de cristal
nunca más servirían de prisión
a nadie.

Habían desaparecido, para
siempre, de su vida y de
su recuerdo.

Por eso, cuando entró en casa
y su madre le preguntó:

—Hija, ¿has visto los zapatos
de cristal?

Marta contestó con una
sonrisa triste:

—¿Zapatos de cristal? ¡No
existen zapatos de cristal!

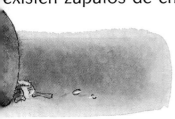

EL MUÑECO DE NIEVE

HABÍA una vez un montón de
nieve que quería ser muñeco.

Pasó un hombre que tenía
gafas negras, abrigo negro y
cartera de cuero negro y el
montón de nieve le dijo:

—Yo quiero ser muñeco
de nieve.

Y el hombre le contestó:

—¡Déjame en paz! Yo sólo sé
ganar dinero. Es lo único que
me interesa.

Y, mientras decía esto, su
cara se ponía verdosa de
avaricia y de prisas.

Pasó una castañera que
llevaba un horno y un saco

lleno de castañas y el montón de
nieve le dijo:

—Yo quiero ser muñeco
de nieve.

Y la castañera le contestó:

—Tengo que asar castañas
todo el día para poder vivir...
¡Qué más quisiera yo que poder
ayudarte!

Y, mientras decía esto, su cara
se llenaba de tristeza.

Pasó un niño, que tenía pelo
largo y un trineo, y el montón
de nieve le dijo:

—Yo quiero ser muñeco
de nieve.

Y el niño del trineo le contestó:

—Yo solo no puedo hacerlo...

Y, mientras decía esto, su cara
se llenaba de esperanza.

Aquel niño se quedó, jugando
con su trineo, cerca del montón
de nieve.

Luego pasó una niña que
tenía pelo corto y pantalón de
lana; más tarde, un niño que
tenía gafas y un abrigo marrón;
y otro que tenía una bufanda
roja y pasamontañas...

Y todos dijeron al montón
de nieve:

—Yo solo no puedo hacerlo.

Y todos se quedaron a
jugar por allí.

Finalmente pasó una niña que
tenía pantalón de pana y jersey
de cuello alto, y el montón de
nieve le dijo:

—Yo quiero ser muñeco
de nieve.

La niña del pantalón de pana
y jersey de cuello alto miró a su
alrededor y, al ver a todos
los niños, gritó:

—¡Chicos! ¡Vamos a hacer un
muñeco de nieve!

Y todos se pusieron a la faena.

Juntos, hicieron dos bolas de
nieve: una, grande, para el
cuerpo; otra, más pequeña,
para la cabeza.

Juntos, colocaron la cabeza
sobre el cuerpo y juntos
buscaron cosas para adornarlo.

El niño del trineo trajo una
zanahoria para hacer la nariz; la
niña del pantalón de lana, una
bufanda de colores; el niño del
pasamontañas, una pipa y una
escoba; la niña del jersey de
cuello alto, un sombrero viejo...
La castañera les regaló dos
castañas; y con aquellas
castañas, convertidas en ojos, el
muñeco de nieve comenzó a ver.

Y cada uno trajo lo que mejor
le pareció para adornar
el muñeco.

Cuando el muñeco estuvo
terminado, con su nariz de
zanahoria, sus ojos de castaña,
su pipa y su bufanda, todos los
niños bailaron a su alrededor.

La castañera dejó su puesto
unos momentos y se unió
al corro.

El muñeco de nieve, muy
sonriente, marcaba el compás
golpeando el suelo con la escoba
y los niños cantaban:

Al corro de la patata,
comeremos ensalada,
lo que comen los señores,
naranjitas y limones...
Mientras tanto, todos los hombres que sólo sabían ganar dinero, con sus gafas negras, sus abrigos negros y sus carteras de cuero negro, pasaban de prisa, sin ver aquella rueda maravillosa, que giraba y giraba en torno al muñeco de nieve.

EL
VIEJO
TRANVÍA

HABÍA una vez un pueblo
pequeño llamado Villanueva
del Río.

En Villanueva del Río todo
estaba viejo y ruinoso: los
tejados de las casas, las tapias
de los huertos, los escudos que
lucían todas las fachadas...

Las casas quedaban
deshabitadas, los tejados se
hundían y la escuela estaba en
un caserón destartalado y frío.
Por eso, los niños aprovechaban
cualquier descuido de la
maestra para echarse a correr
por las eras, los bosques
y los campos.

Los niños y sus risas eran lo único nuevo en Villanueva del Río.

El río de Villanueva del Río se escondía por debajo de las piedras para no ver aquel triste abandono.

Mientras tanto los vecinos, con su alcalde a la cabeza, contemplaban aquella ruina que amenazaba con ahogar el pueblo y nadie levantaba un dedo para remediarlo.

Pasaron los años y llegaron los días en que las gentes del pueblo podrían elegir libremente a su nuevo alcalde.

Entonces, el alcalde comenzó a hablar a todos los vecinos: hablaba desde el balcón del Ayuntamiento, desde el mostrador de la cantina, desde la ventana de su casa...

Y siempre decía las mismas cosas:

—¡Vecinos! No podemos consentir que se hunda nuestro pueblo. Debemos trabajar, unidos, para devolverle sus viejas glorias. Los escudos que adornan la fachada de vuestras casas son la historia, escrita en piedra, de su antigua grandeza: ¡Una grandeza que nos pertenece a todos! Gritad conmigo el nombre de nuestro pueblo: ¡Villanueva! Villa... ¡Nueva! Esa será nuestra bandera. Tenemos que luchar para traer el progreso a Villanueva del Río. Con el progreso, nuestro pueblo volverá a ser lo que era cuando se colocaron los escudos que adornan vuestras casas.

Todos los vecinos aplaudían los discursos del alcalde.

—Ya era hora de que alguien se preocupara por nuestros asuntos —decían.

Después de varios días y de muchos discursos, el alcalde dijo a sus vecinos:

—Me marcho a la ciudad. Traeré lo que necesitamos para lanzar a nuestro pueblo por el camino del progreso.

Todos los vecinos le acompañaron hasta la salida

del pueblo y le despidieron con gritos y vivas y aplausos.

Días y días vagó el alcalde por toda la ciudad: visitó oficinas y ministerios, salas de fiestas y salas de juego; habló con políticos y funcionarios, con empresarios y banqueros...

Finalmente decidió regresar a Villanueva del Río.

A las afueras de la ciudad había un montón de chatarra: coches destartalados y juguetes rotos; un trozo de semáforo y una farola; y en medio de aquel enorme basurero, un viejo tranvía.

En el montón de chatarra, el viejo tranvía soñaba y soñaba cada vez que un golpe de viento hacía sonar su vieja campana.

Acudían a su memoria tiempos felices y lejanos,

cuando él servía para algo.

Cuando recorría las calles de la ciudad para llevar a las gentes a su trabajo o a sus casas.

Y recordaba el largo camino recorrido hasta llegar a aquel enorme montón de chatarra. Los nuevos autobuses lo habían ido empujando hasta los barrios más extremos de la ciudad.

Pero el tranvía fue allí muy feliz. Transportaba gentes que a él le gustaban más; porque todos se conocían, todos se ayudaban y todos colaboraban para sacar adelante aquella vida dura que llevaban.

Pasaba el tiempo y el tranvía era empujado cada vez más lejos.

Cubrieron de alquitrán los últimos raíles y el tranvía quedó atrapado en una vía muerta.

Después de muchos empujones y de muchos tumbos, el viejo tranvía había ido a parar al enorme basurero que había a las afueras de la ciudad.

Cuando el alcalde de Villanueva del Río pasó junto al montón de chatarra, soplaba un viento fresco.

La campanilla del tranvía lo despertó de sus pensamientos.

De pronto, el alcalde exclamó:

—¡Esto es lo que yo necesito para el pueblo!

Y, muy contento, volvió rápidamente a la ciudad.

Poco después regresó con una grúa, un remolque y un camión.

Levantaron con la grúa el viejo tranvía y lo colocaron en el remolque.

Engancharon el remolque
al camión y echaron
carretera adelante.

Iban muy despacio, porque el
alcalde quería llegar al pueblo
después que las sombras de la
noche hubieran empujado a
todos a sus casas.

Cuando el camión, el remolque
y el viejo tranvía hicieron su
entrada en el pueblo, las calles
estaban desiertas.

El alcalde, con mucho misterio,
escondió el viejo tranvía en un
pajar y comenzó a pensar en los
trabajos que quedaban
por hacer.

El alcalde hizo construir un
pedestal en medio de la plaza y
mandó pintar de color amarillo
el viejo tranvía.

Lo instalaron, con el mayor
secreto, sobre el pedestal y

cubrieron todo con unas cortinas
de terciopelo rojo.

LA víspera de las elecciones
repartieron banderitas a las
mujeres, claveles a los hombres
y globos a los niños.

La plaza era una fiesta de
color cuando apareció
el alcalde.

Todos estaban impacientes
por conocer el secreto que

ocultaban aquellos cortinajes de terciopelo.

Entonces, desde el balcón del Ayuntamiento, el alcalde comenzó a hablar:

—¡Vecinos! Hace ya algún tiempo os prometí que traería el progreso a este pueblo. Ahora, antes de que acabe mi mandato como alcalde, quiero anticiparos algo de mi promesa. Esos cortinajes de terciopelo encierran el símbolo del progreso que tendrá este pueblo, si mañana me concedéis vuestro voto.

Luego, con un fuerte tirón, descorrió las cortinas.

Todo el pueblo se echó a aplaudir cuando apareció el tranvía en lo alto de su pedestal.

El sol bordaba reflejos en su

pintura amarilla y en la mirada alegre de todos.

Los hombres llevaban en la solapa la sonrisa de sus claveles, las mujeres y los niños agitaban globos y banderitas y todos lanzaban vivas al alcalde, al pueblo y al progreso.

Al día siguiente, ni uno solo de los vecinos dejó de votar al alcalde, para que trajera a Villanueva del Río el progreso que les había prometido.

Pasó el tiempo de las elecciones y de los discursos y el alcalde se olvidó de lo que había prometido desde el balcón del Ayuntamiento, desde el mostrador de la cantina y desde la ventana de su casa.

Las hermosas palabras de aquellos días se disolvieron en el viento; los tejados de las casas se hundían y todos comenzaron a pensar que el alcalde les había engañado.

Mientras tanto, en el centro de la plaza de Villanueva del Río, el viejo tranvía se sentía inútil, ridículo y torpe.

La visita de los niños, que solían colarse dentro para jugar, no bastaba para consolarlo.

Cada vez que un golpe de viento hacía sonar su campana, soñaba con tiempos felices y lejanos.

Y recordaba cuando los autobuses lo empujaron hasta los barrios más extremos de la ciudad.

Aquellas gentes trabajadoras eran como las de este pueblo.

Pero, ahora, anclado en aquel pedestal, no podía hacer nada de utilidad. Por eso, el viejo tranvía se sentía torpe, ridículo y triste.

Cierto día, los vecinos del pueblo se reunieron en la cantina.

—¡El alcalde nos ha engañado! —gritó uno.

—¡Nos ha vendido un tranvía, a cambio de nuestros votos! —dijo otro.

De pronto, uno de ellos exclamó:

—Parece que está claro. El alcalde nos ha engañado; sólo pretendía que lo eligiéramos.

¡Pero, lo hecho, hecho está!
Ahora ¿qué hacemos con el viejo
tranvía de la plaza?

Todos se quedaron un poco
pensativos.

Después de unos momentos,
comenzaron las propuestas:

—Podemos convertirlo en
kiosco para vender refrescos
—dijo el cantinero.

—No. Un kiosco para la
música —dijo el director de la
banda municipal.

—Podemos trasladar allí la
escuela; así los niños irían más
contentos —propuso la maestra.

—¡Tengo una idea! —gritó el
boticario—. Hagamos algo que
sirva para chicos y para grandes,
para todo el pueblo:
¡Una biblioteca!

Y todos comenzaron a discutir

y a entusiasmarse con
aquella idea.

Y todos comenzaron a ponerla
en práctica.

Después de pintar y arreglar
por dentro el viejo tranvía
pusieron estanterías en las
paredes; cada vecino trajo los
libros que tenía en casa y cada
uno entregó lo que pudo para
comprar libros nuevos.

Y cuando todos los libros
estuvieron colocados en las
estanterías, escribieron con letras
rojas que destacaban sobre
el fondo amarillo:

BIBLIOTECA POPULAR
DE
VILLANUEVA DEL RÍO

Y la nueva biblioteca
comenzó a funcionar.

Cada vez que entraba alguien
para leer un libro o para llevarlo
a su casa, el viejo tranvía hacía
sonar la campana.

Y la campana del viejo tranvía
sonaba y sonaba, como en sus
buenos tiempos, cuando llevaba
a las gentes a su trabajo
o a sus casas.

Pero, ahora, el viejo tranvía
no soñaba con tiempos felices y
lejanos; sino con felices
tiempos que ya estaban
próximos.

El viejo tranvía era feliz;
porque otra vez era útil.

¡Más que nunca!

Porque su campana no
dejaba de sonar y eso quería
decir que el pueblo no dejaba
de leer. Porque sabía que,
cuanto más leyeran, más pronto

se levantarían los tejados de las
casas y las tapias de los huertos
y el río dejaría de esconderse
avergonzado entre las piedras,
para brotar caudaloso y
transparente y lleno de peces.

Porque, muy pronto, Villanueva
del Río sería un pueblo más
hermoso y sus habitantes más
prósperos, más libres
y más felices.

LA DRAGONCITA DE ESCAMAS ROSADAS

HABÍA una vez un país rico en
lagos, aire límpido y campos
florecidos; tenía inviernos
templados, veranos suaves y
largas primaveras.

Por eso, la vida allí era dulce
y agradable.

Por eso, todos los dragones
que aún quedaban sobre la
Tierra se habían reunido
en aquella región.

Los dragones eran seres que
tenían parte de reptil y parte de
ave: su mitad de serpiente
buscó los lagos y campos
florecidos; su mitad de pájaro
gozaba del aire limpio y puro; y,

ambas, disfrutaban de aquel clima tan maravilloso.

Por eso, los dragones que poblaban aquel país vivían felices y tranquilos.

Cierto día, un caballero de brillante armadura se recortó en el horizonte.

Levantado sobre los estribos, se llevó una mano a la frente para hacer visera y examinó la región, que se abría ante sus ojos asombrados.

Luego tiró de las riendas y, a todo el galopar de su cabalgadura, se perdió de vista tras una loma de color cereza.

Algún tiempo después llegaron muchos caballeros; pisotearon los campos florecidos, los cascos de sus caballos enturbiaron las aguas del lago y cortaron todos los

árboles que había en las colinas
para edificar castillos.

Aquellos guerreros
ambicionaban tierras y más
tierras; por eso, se vestían de
hierro, luchaban entre ellos y
quemaban los campos
y las flores.

De castillo en castillo se fue
tejiendo una madeja de rumores
y leyendas:

—Con cola de dragón, uñas de
perro y pelo de león, pueden
fabricarse ungüentos que nos
harán invencibles...

—Los dragones custodian
tesoros fabulosos dentro de
sus cuevas...

—No podremos decir que
somos dueños de estas tierras
mientras un solo dragón viva
en ellas...

—Matar un dragón es la
mejor forma que tiene un

caballero para probar su valor...

Por eso, todos los caballeros perseguían a muerte a los dragones.

Vivía en aquella región un dragón resplandeciente, de escamas verdes y lomo erizado de púas, que estaba enamorado de una dragoncita de ojos azules y escamas rosadas.

Cierto día, la dragoncita de escamas rosadas jugaba en las aguas del lago.

De pronto se oyó un galope de caballos y, antes de que pudiera darse cuenta, fue capturada por un caballero de negra armadura y casco coronado por un penacho de plumas negras.

Ayudado por sus servidores, el caballero la encerró en su castillo.

A partir de aquel momento, la dragoncita sollozaba dentro de

una jaula dorada, custodiada por
soldados vestidos de hierro de
pies a cabeza.

Y, a partir de aquel momento,
todas las noches obligaban a la
dragoncita de escamas rosadas a
bailar en los salones del castillo
delante de los invitados.

Mientras tanto, el dragón de
escamas verdes y lomo erizado
de púas vagaba por las orillas del
lago disolviendo la niebla con
lágrimas de fuego.

Después de llorar durante
muchos días y muchas noches, el
dragón de escamas verdes y
lomo erizado de púas comenzó
a buscar remedio a su desgracia.

Todos le aconsejaron que
fuera a visitar a un viejo dragón,
famoso por su prudencia
y sabiduría.

Y el viejo dragón, que trajinaba
entre frascos y redomas, le dijo:

—Hijo mío, para encontrar la
solución a tu dolor, deberás
recorrer el camino del valor
y la aventura.

Luego de consultar un viejo
libro, grande como una mesa,
continuó diciendo:

—Buscarás a un caballero y
lucharás con él. Cuando logres
vencerlo, le cortarás la cabeza y
te bañarás con su sangre en

una noche de luna llena. De esta forma, conseguirás la fuerza necesaria para rescatar a tu amada del castillo.

El viejo dragón guardó silencio y volvió a enfrascarse en el estudio de unos recipientes en los que hervían líquidos de vivos colores.

EL dragón resplandeciente, de escamas verdes y lomo erizado de púas, acechó junto al lago durante varios días.

Por fin, vio acercarse a un caballero: su armadura brillaba al sol y el penacho blanco que coronaba su casco ondulaba al compás del trote de su caballo.

El dragón lo esperó, quieto, en medio del sendero y entablaron una lucha que duró largas horas.

Los cascos del caballo
sacaban chispas de las piedras,
el dragón echaba humo por la
boca y el polvo y la hierba
removidos inundaban el aire.

El dragón consiguió derribar
al caballero y le clavó los
dientes. La luz del atardecer y
la vida del caballero se
apagaron a un tiempo.

Se había encendido en el
cielo la luna llena, cuando el

dragón comenzó a bañarse en
la sangre del caballero.

Y cuando los hilos de plata de
la luna iluminaron su cuerpo,
húmedo por la sangre del
caballero, el dragón sintió que
sus escamas se volvían duras
y brillantes.

Entonces, se lanzó contra las
rocas, contra los árboles, contra
las rejas de hierro que protegían
las puertas del castillo y
comprobó que era cierto cuanto
le había anunciado el viejo
dragón: sus escamas eran duras,
más duras que el más fino acero.

Las flechas que le tiraban
desde las almenas, las lanzas
que le arrojaban por los
costados, las espadas y las
dagas, rebotaban en la
resplandeciente coraza de
sus escamas.

De un solo zarpazo destrozó el portón de entrada y a los centinelas que lo guardaban.

El dragón de escamas verdes y lomo erizado de púas sembró el terror en pasillos y escaleras, almenas y corredores.

Llegó al gran salón del castillo, sin que las armas y el valor de los centinelas pudieran impedirle la entrada.

Entonces, la dragoncita de escamas rosadas lanzó dos bocanadas de humo verde para mostrar su alegría.

La dragoncita estaba muy orgullosa, al ver que su dragón exterminaba a todos los que la habían maltratado.

El dragón de escamas verdes y lomo erizado de púas tomó en sus brazos a la dragoncita, que se había desmayado por la emoción.

Cruzaron salones y pasillos,
bajaron escaleras y atravesaron
pasadizos, sembrando a su paso
el fuego, la muerte y
la desolación.

Cuando salieron al aire libre,
las llamas del castillo incendiado
ayudaban a las luces del alba a
traer más pronto el nuevo día.

Y cuando la dragoncita de
escamas rosadas despertó de su
desmayo, suspiró
profundamente y miró a su

dragón con ojos llenos
de ternura.

Hasta ellos llegaba el ruido de
la fiesta que habían organizado
los suyos para celebrar el regreso
y la victoria.

Y durante siete días todo
fueron risas y canciones y fiestas
en las cuevas donde vivían
los dragones.

Los caballeros contaron
siempre esta historia como
ejemplo de violencia y crueldad.

Los dragones, sin embargo, la
cantaron como una maravillosa
historia de amor.

Esto sucedía así, porque los
dragones nunca habían pensado
igual que los caballeros.

Por eso, quizás, los dragones,
que eran menos numerosos que
los caballeros, terminaron por ser
borrados de la faz de la tierra.

UNA CASA EN EL TEJADO

HABÍA una vez un gato
callejero que vivía en un tejado.
El gato tenía una casa con
suelo de teja y techo de cielo.
Unas veces, su techo estaba
cubierto de estrellas; entonces,
pasaba la noche entera
contándolas.

Otras, su techo estaba oscuro;
entonces, dormía hasta que
llegaba la mañana.

Era muy feliz en aquella casa
que tenía techo de cielo y
suelo de teja.

Desde allá arriba, asomado a
su ventana de teja, pasaba los

días atusando sus bigotes y
ronroneando al sol.

Cierto día llegó un gorrión al
tejado, depositó en el alero una
ramita que traía en el pico y
se alejó volando.

El gato contemplaba, muy
extrañado, el ir y venir del
gorrión, que volvía una y otra vez
con pajas, plumas y ramitas
en el pico.

Entonces, comprendió que
aquel pájaro iba a ser su nuevo
vecino; por eso, comenzó a
afilarse las uñas en una teja.

A partir de aquel momento, la
vida del gato cambió
por completo.

Ya no tenía tiempo de contar
estrellas, ni de dormir hasta que
llegaba la mañana. Ahora, toda
su vida estaba dedicada a
perseguir y perseguir por todo el
tejado al nuevo vecino.

Por eso, a partir de aquel momento, en lo alto de la casa sólo se oían carreras y saltos y correr de tejas.

Un día se abrió la claraboya de una buhardilla que daba al tejado y asomó la cara de un niño.

—¿Qué pasa aquí? —preguntó.

El gato detuvo su persecución y maulló:

—Mi casa está en este tejado; por eso tengo derecho a comerme al gorrión.

El gorrión temblaba en su nido cuando el niño dijo:

—El gorrión tiene su nido en este tejado; y, casi, casi, puede decirse que también yo vivo en el tejado. Eso significa que los tres somos vecinos; y, ya que somos vecinos, es mejor que vivamos como buenos amigos.

El gorrión aplaudió con la
punta de sus alas mientras decía:

—Eso, eso. Yo quiero que
vivamos como buenos vecinos.

El gato no estaba muy
conforme con el arreglo.

Pero, por miedo al niño, aceptó
aquel pacto.

A partir de aquel momento,
comenzaron una vida de buena
vecindad.

El niño salía al tejado y
compartía su pan con el gato y
el gorrión.

Durante el día, cuidaban de las
flores que crecían en el tejado,
miraban a los hombres que
pasaban por la calle y se reían al
ver que eran pequeños como
hormigas.

El niño, el gato y el gorrión
pasaban las noches claras

contando estrellas y viéndolas brillar en el cielo.

En las noches de lluvia y de frío, el niño abría la claraboya para que el gato y el gorrión entraran en la buhardilla.

Y, acurrucados bajo la manta, miraban por la claraboya y oían las gotas de lluvia que rebotaban en los cristales y en el cubo que ponía la madre del niño para recoger el agua que

caía de las goteras; veían
posarse levemente los copos de
nieve o sentían el parpadeo
de las estrellas.

En el tejado y en la buhardilla,
los tres amigos eran felices,
porque compartían el mismo pan
y se calentaban bajo la
misma manta.

Cierto día, varios hombres se
detuvieron delante de la casa. El
niño, el gato y el gorrión les
miraron desde el tejado, porque
desde allá arriba parecían
hormigas; porque era divertido
ver cómo movían sus bracitos;
porque daba risa verles sacar
papeles y papeles de
sus carteras.

Abajo, en la calle, los hombres
hablaban animadamente.

Uno, que tenía un bigotito
afilado, decía sonriente:

—¡Todo arreglado! La casa ya ha sido declarada en ruinas.

Otro, calvo y grueso, con un puro en la boca y un anillo gordo en el dedo, añadió:

—Cuando derribemos este edificio, construiremos una torre de viente pisos. Ya nos han concedido el permiso.

Y se fueron muy contentos, echando humo y hablando de otros negocios.

Pronto llegaron los avisos para que abandonaran la casa.

El niño no podía comprender cómo había leyes que autorizaban a ponerlos en la calle.

No se hacía a la idea de tener que abandonar aquella casa donde había nacido y aquel tejado donde había sido tan feliz.

Sus padres estaban tristes;

pero hacían esfuerzos para
disimularlo.

Algún tiempo después, desde
la calle, vieron cómo empezaban
a derribar la casa.

Parecía un trabajo sencillo.

«Mucho más sencillo que
construirla», pensaba el niño.

El gato y el gorrión habían
saltado al tejado vecino.

—Para ellos todo es mucho
más fácil —murmuró el niño.

Primero cayó el tejado; luego, la buhardilla.

Cuando empezaba a caer el cuarto piso, no quisieron ver más.

El niño y sus padres dieron media vuelta y echaron a andar. Empujaban un carrito en donde estaban amontonadas todas sus cosas.

El niño pensaba, mirando al suelo:

«El gato y el gorrión no tendrán problemas para encontrar nueva casa.»

Y se alegró por sus amigos.

Antes de doblar la esquina, se dio la vuelta para decirles adiós con la mano.

Entonces, el rostro del niño se iluminó de alegría: ¡el gato y el gorrión iban detrás de ellos!

Y el niño se sintió feliz.

Sabía que en cualquier

tejado, o en cualquier campo, podría seguir contando estrellas junto a sus amigos.

De esta forma, su vida sería menos triste.

Cuando se perdieron de vista a la altura de las últimas casas, al niño aún no se le había borrado la sonrisa.

EL FARO DEL VIENTO

HABÍA una vez un pueblo pequeño, blanco y luminoso.

El pueblo tenía un río, un puente y muchos niños que jugaban en la plaza.

Cierto día, uno de los niños, que se llamaba Juan, comenzó a masticar aire; luego, lo lanzó con fuerza de su boca.

El aire se convirtió en un silbido tan fuerte, que hizo levantar la cabeza a los hombres que trabajaban en los huertos, a los animales que pacían en los prados, a los peces que nadaban en el río...

Juan puso aquella habilidad al servicio de todos.

Con su silbido llamaba a los animales que se habían rezagado del rebaño; guiaba a los caminantes perdidos en la niebla; avisaba de fuego, tormenta o cualquier otro peligro que amenazara al pueblo.

Con la ayuda del maestro, el niño comenzó a estudiar el aire. Y cuando aprendió todo lo que el maestro podía enseñarle, se retiró a su casa para continuar sus estudios.

Al cabo de varios años, construyó un artefacto maravilloso: tenía forma de molinillo de café y, a fuerza de batir y moler con él, Juan podía convertir el aire en viento.

Luego colocaba un cacharro vacío debajo del molinillo y el

viento quedaba encerrado en él.

Al principio, sólo utilizaba aquel molinillo los días de fiesta: despertaba a todo el pueblo con el ulular del viento; alejaba las nubes, si el día se presentaba oscuro y elevaba los globos hasta convertirlos en puntos de color.

Más tarde, Juan inventó un tapón que servía para graduar la salida del aire.

Entonces pensó que había llegado el momento de la gran prueba.

Tomó una botella vacía, la llenó de viento y se la ató a la cintura; graduó el tapón y el viento comenzó a salir, cada vez con más fuerza.

Cuando alcanzó la presión suficiente, Juan salió volando por la ventana.

Y voló por encima de los

campos y del río, por encima de
los prados y de la plaza
del pueblo.

Y todo eran risas y vivas
y aplausos.

Aquel mismo día, reunido el
Ayuntamiento en sesión
especial, se decidió que Juan
debía ir a la ciudad para
presentar su invento.

De esta forma, su fama sería
motivo de gloria para todo
el pueblo.

Unos eran partidarios de que
trabajara en un circo; otros
decían que en un teatro; algunos
que debía mostrar aquel
molinillo a los hombres
de ciencia.

Pocos días después, Juan se
encaminó a la ciudad.

Llevaba bajo el brazo su
molinillo de viento.

Juan hizo caso a todos:

escuchó los aplausos del
público en la pista de un circo,
en el escenario de un teatro y en
un salón de la Universidad.

Los hombres de ciencia
le aconsejaron:

—Si quieres que tu invento
beneficie a toda la Humanidad,
debes buscar la ayuda de los
Grandes Empresarios; ellos son
los dueños de todas la fábricas y
de todo el dinero.

Pero los Grandes Empresarios comprendieron que, con aquel molinillo, ya no harían falta coches, petróleo ni gasolina...

Y, como ellos eran los dueños de las fábricas de coches, de los pozos de petróleo y de las estaciones de gasolina, aquel invento de Juan les haría perder gran parte de sus ganancias.

Por eso le dijeron:

—Tu invento significa un gran adelanto para toda la Humanidad.

—Gracias a él, no necesitaremos coches y la gente no morirá en las carreteras.

—No habrá más humos sobre nuestras ciudades.

—Los ríos volverán a tener aguas transparentes y, de nuevo, estarán poblados de peces.

Y otro, con una afilada sonrisa colgada de un bigotito afilado, añadió:

—Mientras ponemos en práctica este invento, es mejor que continúes tu trabajo en un lugar seguro y secreto.

Metieron a Juan en un helicóptero y, después de un largo viaje, lo dejaron en un faro aislado en medio del mar.

Mucho tiempo después, Juan vio desde el faro que los barcos seguían echando humo por sus chimeneas; los aviones manchaban el cielo con densas estelas de humo; los ríos seguían vertiendo inmundicias en el mar y, en sus aguas contaminadas, flotaban muchos peces muertos.

Al comprobar que había sido engañado, comenzó a preparar un plan de fuga.

Juan pasaba largas horas vigilando el mar.

Recogía todos los objetos arrastrados por las olas, arreglaba los que podían servir para contener viento y, una vez llenos, los ataba fuertemente a la parte baja del faro.

Y cuando la parte baja del faro estuvo cubierta de cajas y botellas llenas de viento, comenzó a abrir los tapones.

Al abrir el último, con gran estruendo y polvareda, el faro se elevó por los aires.

Para nadie fue una sorpresa cuando llegó a su pueblo y posó el faro sobre una colina.

Cuando el alcalde conoció todo lo que le había sucedido desde su salida del pueblo, exclamó:

—Nadie podrá decir que no lo intentamos. Ahora,

aprovecharemos tu invento en beneficio de este pueblo y, poco a poco, lo iremos extendiendo a todos los pueblos del contorno.

Para que nadie pudiera localizar a Juan, destruyeron la parte superior del faro.

De esta forma, parecía el torreón desmochado de un viejo castillo.

Allí instaló Juan su laboratorio y allí trabajó muchos años para el bien de todos.

A partir de aquel momento, en el pueblo guardaron todas las cajas, todas las botellas y todos los recipientes viejos.

Y con aquellos cacharros llenos de viento podían trasladarse de un lugar a otro sin ningún esfuerzo; los arados trabajaban solos la tierra, movían las aspas de los molinos, desprendían la fruta de los árboles...

Y el tiempo que ahorraban al no tener que hacer estos trabajos lo empleaban en leer, en jugar con sus hijos, en conversar unos con otros y en preparar la forma de extender aquel invento a todos los pueblos de todo el mundo.

LA VOZ DE TODOS

HABÍA una vez un país rico en
árboles, ríos y campos
florecidos.

La vida en aquel país era
hermosa y apacible: allí sólo se
escuchaba el aire en las ramas,
el canto de los pájaros entre las
flores y el batir de alas de
las mariposas.

Ninguna voz humana
perturbaba los campos, los
jardines y las plazas; porque los
habitantes de aquel país
eran mudos.

Nadie les había enseñado el
uso de la palabra y nunca
habían escuchado el sonido de

la voz humana; por eso, no
sabían que eran mudos. Por eso,
los habitantes mudos de aquel
hermoso país eran felices.

Cierto día, pasó por allí
un hombre.

Desde una colina cercana
contempló admirado la belleza
de los campos, descendió hasta
el valle y recorrió complacido
todas aquellas tierras.

Aquel día, la voz humana sonó
por vez primera en el
hermoso día:

—Mi nombre es Retórico
—dijo el desconocido con
voz potente.

Todos los habitantes
contemplaron asombrados a
aquel ser que poseía tan
extraordinarios poderes.

Primero, lo miraron con miedo;
luego, con respeto.

Finalmente, con sumisión.

Quizá por esta razón, el hombre extraño decidió instalarse en aquel país.

Quizá por esta razón, Retórico comenzó a mirar a todos con aire de superioridad y a dar órdenes que hacía obedecer con firmeza.

La voz de Retórico era la única que se oía en el valle y aquella voz perturbaba el ruido del aire en las ramas, el canto de los pájaros entre las flores y el batir de alas de las mariposas.

Por esta razón, todos los habitantes del país comenzaron a sentir que les faltaba algo.

Por esta razón, la sonrisa se les voló del rostro y se sintieron tristes y débiles y solos.

El extraño personaje que conocía el uso de la palabra y gobernaba ya aquel país de

hombres mudos, se volvió
orgulloso y cruel.
  Mandó esculpir
su imagen
en grandes estatuas,
con letras
de oro
en el pedestal
que decían:

y las colocó en calles,
en plazas y jardines.
  A partir de aquel momento,
cada vez que los habitantes
veían una de aquellas estatuas,
sentían tristeza y dolor; porque

la imagen de Retórico les recordaba que no poseían el uso de la palabra.

A partir de aquel momento, les angustió saber que eran mudos y aquella angustia llegó a hacerse insoportable.

Por eso, cuatro hombres y cuatro mujeres se unieron para planear la forma de arrebatar a Retórico el secreto de la palabra.

Por eso comenzaron a espiarlo. Analizaron cada uno de sus movimientos y estudiaron cada uno de sus gestos.

Al cabo de algún tiempo, lograron descubrir el secreto de Retórico.

Aquel grupo de hombres y mujeres se convirtieron en maestros.

Muy pronto, con el mayor

secreto, enseñaron a sus
compañeros a formar palabras y
frases y a expresar con ellas sus
ideas, sus necesidades y
sus sentimientos.

Y, cuando todos conocieron el
uso de la palabra, en los muros
de las casas, en las tapias de los
huertos, en los pedestales de
las estatuas de Retórico,
aparecieron pintadas que decían:

Aquéllos fueron días de gran tensión en todo el país.

Retórico quiso castigar a los culpables y convocó a los habitantes en la Gran Plaza para que el castigo fuera ejemplar.

Cuando todos estuvieron reunidos, ordenó que se adelantaran los culpables. Entonces, los cuatro maestros y las cuatro maestras dieron un paso al frente y uno de ellos dijo:

—Retórico, el pueblo ya conoce que la potencia de voz de uno de ellos es tan grande como la tuya. También sabe, porque nosotros se lo hemos enseñado, que la voz de todos puede extenderse por el país entero, por sus montes y sus campos, por sus árboles y sus flores; que sus palabras y sus deseos pueden convertirse en leyes y que, con esas leyes, nuestras vidas serán más libres y más felices.

Al oír aquellas palabras, Retórico palideció; porque no había sospechado que aquellos hombres fueran capaces de hablar.

Entonces, uno de ellos dijo:

—Libertad.

Y el que estaba a su lado repitió:

—Libertad.

Y, poco a poco, todos los hombres y todas las mujeres del país dijeron a un tiempo:

—LIBERTAD.

Aquella palabra que brotaba de todos los labios a un tiempo, se extendió como un grito por los campos y los ríos y las montañas.

Y aquel grito empujó a

Retórico fuera de su balcón,
fuera de su casa, fuera de las
fronteras de aquel país rico en
árboles, ríos y campos florecidos.

Y cuando todos los hombres
hicieron uso de su palabra y de
su voz, cuando todos los
hombres se sintieron libres,
dueños de sus vidas y de sus
actos, de nuevo volvieron
a ser felices.

De nuevo se detuvieron a
escuchar el aire en las ramas, el
canto de los pájaros entre las
flores y el batir de alas de
las mariposas.

TRISTES ESTRELLAS DE TIZA

HABÍA una vez una ciudad que
tenía grandes edificios, parques
anchurosos y largas avenidas.
Pero sus edificios no eran
hermosos; sus avenidas no eran
alegres; ni sus parques, floridos.
Todo tenía el color sucio y
monótono de la gran nube gris
que encapotaba el cielo.

 Aquella nube se había
formado, hacía muchos años,
con el humo de los coches, de
las motocicletas y los
autobuses; con el humo de las
calefacciones y de las fábricas;
con la colaboración de todos
los ciudadanos que no habían

movido un dedo para impedirlo.

La nube creció hasta cubrir por completo el cielo de la ciudad. Recorría las calles, se pegaba a la fachada de los edificios y empapaba hasta las raíces de los arbustos, los árboles y las flores.

Por eso, los grandes edificios y avenidas estaban sucios y los colores apagados de las flores languidecían en parques y macetas.

Por eso, los hombres, las mujeres y los niños tenían los ojos tristes y sus miradas reproducían el color de la nube gris que lo envolvía todo.

Los hombres y las mujeres acudían a su trabajo con gesto sombrío, porque ya habían olvidado cómo era el cielo limpio y claro.

Los niños tenían la piel

cenicienta, como los muros de su escuela; porque nunca habían sabido lo que era el sol; porque sólo conocían los arco iris sucios que formaban en el suelo las manchas de aceite y gasolina de los coches.

Y todos los habitantes de la ciudad tenían el aire apagado y gris de aquella terrible nube que inundaba edificios y parques, calles y jardines, que se pegaba a sus rostros cubriendo la sonrisa.

Cierto día, el maestro comenzó a hablar a los niños:

—Lección tercera: *Las Estrellas.* Las estrellas son enormes cuerpos brillantes que visten la noche muy por encima de la nube gris...

Les habló de parpadeos luminosos en el cielo; pero sus

palabras no tenían luz suficiente para describirlas.

Llenó la noche oscura de la pizarra con dibujos de estrellas y cometas, planetas y satélites, constelaciones y galaxias.

Pero el tono apagado de las tizas apenas podía aproximarse a la forma y perdía por completo el color y la grandiosidad de las estrellas.

Los ojos del maestro brillaban tras los cristales de sus gafas, porque casi no recordaba ya cómo eran las estrellas, porque los niños no podían comprender lo que quería explicar.

Entonces les pidió que trajeran papeles de colores, palitos y alfileres.

Los niños llevaron a la escuela papeles rojos, amarillos y verdes; papeles de plata y de oro, brillantes y luminosos.

Y el maestro les enseñó a
hacer molinillos de papel:
plegaron y cortaron por donde
les indicaba. Y cuando los
clavaron con un alfiler a los
palitos, los molinillos de papel se
echaron a girar y los niños
rieron muy contentos.

El maestro les explicó que las
estrellas eran como molinillos
brillantes que vestían de luz las
noches claras cuando no existía
la nube gris que cubría el cielo.

Los ojos de los niños se llenaron
de tristeza al pensar en aquellas
noches maravillosas que nunca
habían conocido.

A la salida de la escuela,
volvieron a reír y a cantar.

Los parques y las calles de la
ciudad se llenaron de molinillos
de papel y cuando todos los
niños de la ciudad aprendieron a
hacer molinillos los colocaron en
ventanas, terrazas y azoteas.

Por la noche, los edificios de la
ciudad formaban una enorme
constelación de estrellas de
papel que giraban y giraban
al soplo del viento.

Una noche, cuando la ciudad
dormía y los molinillos de papel
giraban en terrazas y balcones,
sopló un viento tan fuerte que
inclinó los molinillos.

El viento salió proyectado
hacia arriba y los chorros de

aire de todos los molinillos de
papel se juntaron en un punto de
la nube que cubría el cielo, con
tanta fuerza, que abrieron
un inmenso boquete.

A través de aquel boquete, la
luna y las estrellas se asomaron
a la ciudad.

CUANDO un vigilante nocturno
vio la luna y las estrellas, hizo
sonar con fuerza su silbato.

Poco después, sonaban a un
tiempo los silbatos de todos los
vigilantes, las bocinas de la
policía y de las ambulancias, las
sirenas de las fábricas y las
campanas de los bomberos.

Con aquel ruido ensordecedor
se encendieron todas las
ventanas y los habitantes de la
ciudad contemplaron
asombrados el maravilloso

espectáculo del cielo estrellado.

El maestro, con un pijama de
rayas blancas y rojas, gritaba
por las calles:

—¡Mirad, niños! ¡Las estrellas!
¿Comprendéis ahora la
lección tercera?

Y los niños reían y aplaudían al
ver las estrellas, porque
recordaban aquellas tristes
estrellas de tiza que el maestro
había pintado en la pizarra.

Al día siguiente, la ciudad era una verdadera fiesta.

Los comercios, las fábricas y las escuelas cerraron sus puertas y los ciudadanos llenaron las calles y los parques para admirar la maravilla de sol que se veía a través del boquete de la nube gris.

Pero, cuando el viento dejó de soplar, los molinillos dejaron de girar; la nube dejó de recibir aquel potente chorro de aire y poco a poco se fue cerrando el boquete.

Entonces, la nube volvió a cubrir por completo el cielo de la ciudad.

Los hombres y las mujeres volvieron a su trabajo y los niños a sus escuelas.

Los ojos de los niños brillaban de pena al mirar sus estrellas de papel, porque se

sentían ahogados por
la nube gris.

Los hombres y las mujeres
estaban vestidos de esperanza,
porque los niños de la ciudad,
unidos en un mismo juego,
habían conseguido abrir un
boquete en la nube.

Y esto les animaba a pensar
que, si trabajaban unidos,
podrían acabar para siempre
con aquella nube.

Establecieron en la ciudad un
control riguroso para eliminar los
humos de las fábricas, de las
calefacciones y de los coches.

Y, al cabo de algún tiempo, ya
no hizo falta que soplara el
viento para que los molinillos de
papel les permitieran ver las
estrellas. Porque sus días se
volvieron brillantes y la luna y

las estrellas cuajaban su cielo
por la noche.

A partir de aquel momento, los
edificios lucieron con todo su
esplendor; las avenidas
estallaron de alegría; en los
parques hubo una explosión de
flores, y en la mirada de los
habitantes de la ciudad se
reflejaba todo el color y la alegría
que habían conseguido
trabajando unidos.

TÍTULOS PUBLICADOS